DISCARDS

los PITUFOS™

EL REY PITUFO

Incluye también:

PITUFONÍA EN DO

Volumen 3
El rey pitufo
Título original: "Le Schtroumpfissime"
Primera edición: Agosto de 2013

Passeig de Sant Joan 7 – 08010 Barcelona.
Tel.: 93 303 68 20 – Fax : 93 303 68 31.
E-mail : norma@normaeditorial.com
Dibujo: Peyo
Guión: Y. Delporte y Peyo
Traducción: IMPS
Rotulación: Joanmi I.O.
ISBN: 978-84-679-1159-6
Depósito legal: B-9112-2013

www.NormaEditorial.com
www.NormaEditorial.com/blog
www.smurf.com

Consulta los puntos de venta de nuestras publicaciones en
www.normaeditorial.com/librerias

Servicio de venta por correo: Tel. 93 244 81 25 – correo@normaeditorial.com,
www.normaeditorial.com/correo

NormaEditorial

EL REY PITUFO

Y AL DÍA SIGUIENTE...
VOLVERÉ DENTRO DE UNOS DÍAS. ¡PITUFAOS BIEN DURANTE MI AUSENCIA!

¡YA ESTÁ! ¡SE FUE!
SÍ.

¡BIEN! ¿QUIÉN QUIERE PITUFAR A LA PELOTA CONMIGO?
¡YO!
¡YO!

¡DE ESO NADA! TENEMOS QUE PITUFAR EN EL PUENTE SOBRE EL RÍO PITUFO. ¡VAMOS! ¡TODOS AL TRABAJO Y DE PRISA!

¡VETE A PITUFAR UN HUEVO!
A MÍ NO ME GUSTAN LOS HUEVOS.
¡EH, OYE! QUE CADA UNO PITUFE LO QUE LE DÉ LA GANA...
¿QUIÉN TE HAS CREÍDO QUE ERES?

HE DICHO QUE PITUFARÍAMOS EN EL PUENTE Y PITUFAREMOS EN EL PUENTE. ¡CUANDO PAPÁ PITUFO ESTÁ AUSENTE, EL QUE MANDA SOY YO!

¿QUIÉN? ¿TÚ? ¿TE HAS VUELTO PITUFO O QUÉ? ¡SERÉ YO QUIEN MANDE! ¿ENTENDIDO?

¿TÚ?
¡NO! ¡YO!
¿POR QUÉ TÚ?
¿TÚ? ¡JA, JA, JA! ¡NO ME HAGAS PITUFAR!
¿Y POR QUÉ NO SOY YO?
SE LO DIRÉ A PAPÁ PITUFO.

YO SOY EL MÁS VIEJO.
¡Y TAMBIÉN EL MÁS TONTO!

¡SERÉ YO Y NADIE MÁS QUE YO! ¡Y AL QUE NO LE GUSTE, LE PEGARÉ UN PITUFAZO QUE LE MANDARÉ A HACER PITUFAS!

¡YO!
¡SERÉ YO!
OS CASTIGARÁN A TODOS. SE LO DIRÉ TODO A PAPÁ PITUFO Y ÉL OS...
PIF
A MÍ, LOS PIFS NO ME GUSTAN NADA.
¡YO!
¡NO! ¡YO!
PAF

ALGO MÁS TARDE...
HAY QUE PITUFAR UNA SOLUCIÓN COMO SEA. ¿CUÁL DE NOSOTROS PITUFARÁ?

YO.
¿TÚ? ¿Y POR QUÉ NO YO?

¿NO VAIS A EMPEZAR DE NUEVO, VERDAD?

TENGO UNA IDEA. ¿POR QUÉ NO VOTAMOS?

¡ES UNA BUENA IDEA!
¡OH, SÍ!
VAMOS A PITUFAR A LOS DEMÁS CUANTO ANTES.

PITUFADME BIEN: HEMOS PITUFADO UN SISTEMA PARA SABER CUÁL DE NOSOTROS REEMPLAZARÁ A PAPÁ PITUFO. ¡UTILIZAREMOS EL SUFRAGIO UNIVERSAL! QUE CADA UNO DIGA A QUIÉN QUIERE VOTAR.

¡YO VOTO POR MÍ!
A MÍ NO ME GUSTAN LOS "MÍES".
!

ASÍ NO ACABAREMOS NUNCA.
¿QUÉ PODEMOS PITUFAR?

RETRASAREMOS LAS ELECCIONES HASTA MAÑANA. LA NOCHE ES BUENA PITUFERA.

SI PAPÁ PITUFO ESTUVIERA AQUÍ, DIRÍA QUE TENÉIS QUE PITUFAR POR MÍ, PORQUE PAPA PITUFO SABE QUE YO...
VOTARÁS POR MÍ. ¿EH?
¡AH, NO! ERES TÚ QUIEN VOTARÁ POR MÍ.

¿Y POR QUÉ, GUAPO?
PORQUE SÍ, HALA.

¡VOTARÁS POR MÍ!
¡NO! LO HARÁS TÚ.
Peyo
3

¿CÓMO ME LAS ARREGLARÉ PARA CONVENCER A LOS DEMÁS DE QUE DEBEN VOTAR POR MÍ?

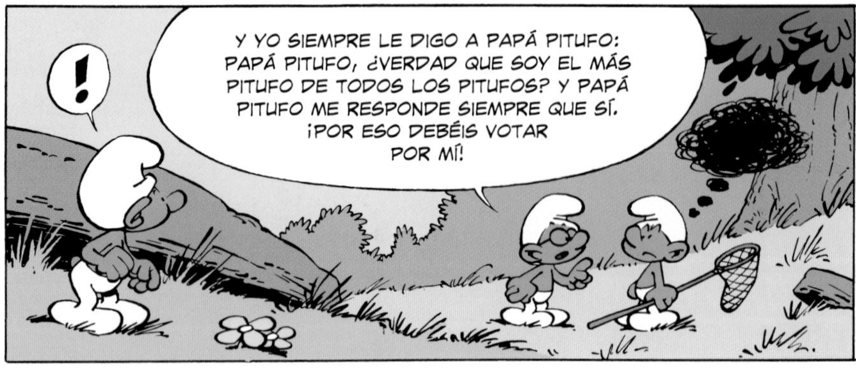
!
Y YO SIEMPRE LE DIGO A PAPÁ PITUFO: PAPÁ PITUFO, ¿VERDAD QUE SOY EL MÁS PITUFO DE TODOS LOS PITUFOS? Y PAPÁ PITUFO ME RESPONDE SIEMPRE QUE SÍ. ¡POR ESO DEBÉIS VOTAR POR MÍ!

¡QUE PLOMOPITUFO! ¿EH?
¡NO ME PITUFES!

SI RESULTARA ELEGIDO, PITUFARÍA UNA LEY CONTRA LOS CHARLATANES.
¿DE VERAS?

PUES MIRA, VOTARÉ POR TI.
ERES MUY AMABLE.

BUENO, POR LO VISTO, BASTA CON HACER PROMESAS.

¡CRUNCH!
¡ÑAM!
¡CROC!
¡SLUR!
¡ÑAM!
¡GLU!
¡GLU!
?

¿ESTÁ BUENO?
MMM...
CONF

CREO QUE HACEMOS MUY POCOS PASTELES. SI RESULTARA ELEGIDO, MANDARÍA HACER UNO TODOS LOS DÍAS.

Y DOBLARÍA LAS RACIONES DE ZARZAPARRILLA. Y SI RESULTARA ELEGIDO, MANDARÍA HACER BOLLOS RELLENOS TRES VECES POR SEMANA.
¿BOLLOS? ¡CARAMBA! VOY A VOTAR POR TI.
MERMELADA

¡YA VAN DOS!... ALLÁ VA EL PITUFO VANIDOSO.

¡AH, QUE GUAPO ERES! SI LA PITUFA ES EL ESPEJO DEL PITUFO, SEGURO QUE ERES EL MÁS GRANDE DE TODOS LOS PITUFOS...
¿DE VERAS? PUES MIRA, VOY A VOTAR POR TI.

Y VAN TRES... AHORA A POR EL PITUFO PEREZOSO.

¡MENUDO CALOR HACE! ¿EH? NO HAY QUIEN PITUFE CON ESTE TIEMPO. ADEMÁS, DE TODOS MODOS, PITUFAMOS DEMASIADO. SI RESULTO ELEGIDO, DECIDIRÉ QUE SOLO HAY QUE PITUFAR CUANDO UNO TENGA GANAS...
¿DE VERDAD? PUES MIRA, VOTARÉ POR TI.
Peyo

¡LA COSA PITUFA! SI CONSIGO CONVENCERLES A TODOS, RESULTARÉ ELEGIDO...
4

PITUFO PROSIGUE CON GRAN DIPLOMACIA SU CAMPAÑA ELECTORAL.
SI PROMETES VOTAR POR MÍ, TE PITUFARÉ LOS TRONCOS.
¿EN SERIO? MUY BIEN, VOTARÉ POR TI.

!
CUANDO ACABES CON ESTE MONTONCITO, PUEDES EMPEZAR CON AQUEL OTRO...

MÁS TARDE...
¡ESE VOTO ME HA PITUFADO MUY CARO!

¡TURUU!

¿ERES TÚ? ME PREGUNTABA QUIÉN PODÍA PITUFAR UNA MÚSICA TAN BONITA...

SI RESULTARA ELEGIDO, TE NOMBRARÍA SOLISTA OFICIAL DE LA BANDA PITUFA.
¿DE VERDAD? PUES MIRA, VOTARÉ POR TI.

Y YA QUE TE GUSTA TANTO MI MÚSICA, VOY A PITUFARTE MI ÚLTIMA COMPOSICIÓN...

ES QUE...BUENO... TENGO QUE IR... ¡POR AHÍ!
ES IGUAL. TE ACOMPAÑO.

¡TURUUUUTURU!
¡LO QUE HAY QUE PITUFAR, PARA GANAR LAS ELECCIONES!

POCO DESPUÉS...
MIRA, ME HAN PITUFADO ESTO PARA TI.
¿PARA MÍ?

DEBE DE SER EL REGALO DE UN ELECTOR QUE...

¡BUM!
?

¡JA, JA, JA!
¡CAÍSTE! ¡CAÍSTE!

¡JA! ¡JA! ¡JA!

LO QUE MÁS ME PITUFA DE TI ES TU SENTIDO DEL HUMOR. SI RESULTARA ELEGIDO, TE PITUFARÍA MINISTRO DE CHASCARRILLOS Y BROMAZOS.
¿AH, SÍ? ¡PUES VOTARÉ POR TI!
5

TAL VEZ TENDRÍA QUE IMPRIMIR UNOS CARTELES...

¡EH, PITUFO! ¿PODRÍAS PITUFARME UNAS HOJAS DE PAPEL?
¡CLARO!

AHORA NECESITARÉ UN PINCEL Y UN BOTE DE PINTURA.

¡AQUÍ TIENES!
¡AH!

¡ESTO SON HOJAS DE ROBLE!
¿SI?

¿CÓMO ME LAS PITUFARÉ PARA ASEGURARME DE QUE ESTE VOTARÁ POR MÍ?

ESCUCHA CON ATENCIÓN: MAÑANA VOTARÁS POR EL PITUFO FILÓSOFO. ¡POR MÍ NO! ¿EH? ¡POR EL PITUFO FILÓSOFO!
¡AH, BUENO!

VOTARÉ POR EL PITUFO FILÓSOFO...POR EL PITUFO FILÓSOFO...POR EL...
¡AJAJÁ! COMO ESE LO PITUFA TODO AL REVÉS, SEGURO QUE VOTARÁ POR MÍ.

AHÍ VIENE EL PITUFO GRUÑÓN.

¡HOLA! ¿ANDA MAL LA COSA, VERDAD?
¡SÍ!

LO MISMO PIENSO YO. ESTAS ELECCIONES ME PITUFIDIAN. ¡VAYA LATA, ESO DE TENER QUE VOTAR!
A MÍ NO ME GUSTA VOTAR.

¡Y YO DETESTO VOTAR! PERO, EN FIN... YA QUE HAY QUE VOTAR POR ALGUIEN, ¿POR QUÉ NO VOTAS POR MÍ?

NO ME GUSTAN LOS PITUFOS QUE QUIEREN QUE SE LES VOTE.
!

¡HUM! EN FIN... ¡A TRABAJAR!

Y MÁS TARDE...
HAN SIDO MUY AMABLES PITUFANDO CARTELES PARA MI CAMPAÑA ELECTORAL, PERO, ¿POR QUÉ SE HAN OLVIDADO LAS GAFAS?
VOTA POR PITUFO
VOTA POR PITUFO
VOTA POR PITUFO
VOTA POR PITUFO
VOTA POR PITUFO

MAÑANA PITUFARÉIS A LAS URNAS PARA PITUFAR AL QUE HA DE SER VUESTRO PITUFO. ¿Y A QUIÉN PITUFAREIS VUESTRO VOTO? ¿A CUALQUIER PITUFO QUE NO PITUFA MÁS ALLÁ DE SU NARIZ? ¡NO! NECESITÁIS UN PITUFO SEGURO EN QUIEN PODÁIS PITUFAR SIN MIEDO Y YO SOY ESE PITUFO! ALGUNOS, QUE ME CUIDARÉ MUY MUCHO DE PITUFAR AQUÍ, PITUFARÁN QUE YO BUSCO SOLO HONORES. ¡PERO ESO NO ES PITUFAR!

¡YO LO QUE QUIERO ES PITUFARLE FELICIDAD A TODOS! ¡PITUFARÉ HASTA EL FIN PARA QUE LA PAZ PITUFE EN CADA CASA! ¡Y LO QUE PITUFO, LO PITUFARÉ! ¡PITUFAR ES MI LEMA! ¡POR ESO, VOTAREIS POR MÍ! ¡VIVA EL PAÍS DE LOS PITUFOS!

¡VIVA YO!

BRAVO

CLAP CLAP CLAP CLAP

¡QUÉ BIEN HA PITUFADO!

Peyo

7

¿ALGUIEN QUIERE PITUFAR ALGUNA PREGUNTA?

¡SÍ! ¡YO!

MI PREGUNTA ES: ¿POR QUÉ PITUFAR A OTRO, Y NO A MÍ? PAPÁ PITUFO SIEMPRE HA DICHO QUE...
¡UN MOMENTO!

QUE MI HONORABLE OPONENTE SE DIGNE A VENIR A PITUFAR TODO ESTO A LA TRIBUNA. ¡CON GUSTO LE PITUFARÉ LA PALABRA!

ENTRETANTO, PITUFARÉ A TODOS LOS QUE TENGAN SED A PITUFAR EN MI CASA UN BUEN PITUFO DE ZUMO DE FRAMBUESAS.

¡ZUMO DE FRAMBUESAS!
¡ÑAMÑAM!
¡QUÉ RICO!
¡VIVA PITUFO!
MIS MUY PITUFOS CIUDADANOS...

COMO DIJO PAPÁ PITUFO, NO HAY QUE PITUFAR MÁS EL BRAZO QUE LA MANGA, Y MÁS VALE PITUFO EN MANO QUE CIENTO ARENGANDO. POR ESO CREO QUE OS IRÁ MEJOR SI ME PITUFÁIS A MÍ COMO SUSTITUTO DE PAPÁ PITUFO, YA QUE A QUIÉN MUCHO PITUFA, DIOS LE PITUFA.
A MÍ NO ME GUSTA EL ZUMO DE FRAMBUESAS.

LA REUNIÓN HA TERMINADO Y LA NO-CHE TRANSCURRE SERENA, APACIBLE.

AL MENOS PARA ALGUNOS.
¡MAÑANA SERÉ ELEGIDO! ¡NO PITUFA DUDA!

PERO NO PARA OTROS.
¿Y SI MAÑANA, EN EL ÚLTIMO INSTANTE, PITUFARAN NO VOTAR POR MÍ...?

AL DÍA SIGUIENTE...
¡EH! HACED EL FAVOR DE NO PITUFAR AHÍ ATRÁS.
QUE CADA UNO PITUFE SU TURNO.
PERDONA, PERO YO IBA DELANTE DE TI.
¡ESTA COLA NO PITUFA!
¡EL SIGUIENTE!

¡TOMA! ENTRA AHÍ DENTRO Y PITUFA EL NOMBRE DEL QUE HAYAS ELEGIDO.
¡EL SIGUIENTE!
SALIDA

¡EH! ¿CÓMO SE ESCRIBE "PITUFO"?
¡EL SIGUIENTE!

¡EL SIGUIENTE!

¡EL SIGUIENTE!

¡EL SIGUIENTE!

VAMOS A VER, ¿POR QUIÉN VOTO? ¿POR PITUFO O POR PITUFO? DESDE LUEGO, PITUFO ES MÁS PITUFO QUE PITUFO, PERO, EN CAMBIO, PITUFO...
BUENO... ¿PITUFAS DE UNA VEZ O QUÉ?
¡EL SIGUIENTE!

¡BUAAÁ! ¡HE PITUFADO EL TINTERO SOBRE MI HOJA!
LO SIENTO, DIGAMOS QUE HAS VOTADO EN BLANCO.
¡EL SIGUIENTE!

¡EH! ¡OYE! ¡TÚ YA HAS VOTADO ANTES!
¿DE VERAS? ¿TÚ CREES?
¡EL SIGUIENTE!

¡QUÉ RABIA! ME HAN RECONOCIDO. HABRÁ SIDO CULPA DE LAS GAFAS.
¡EL SIGUIENTE!

TENGO QUE VOTAR POR EL PITUFO FILÓSOFO...TENGO QUE VOTAR POR...
¡EL SIGUIENTE!

¡EL SIGUIENTE!

LA CABINA, ¿DÓNDE ESTÁ LA CABINA?
¡EL SIGUIENTE!

¡POR AQUÍ!
¡AH, GRACIAS!
¡EL SIGUIENTE!

¡EL SIGUIENTE!
PAF

BUENO, HA VOTADO EL ÚLTIMO PITUFO. VAMOS A PITUFAR AL ESCRUTINIO.
¡EL SIGUIENTE!

¡PUES SI QUE PITUFAN!
YA VERÉIS COMO RESULTO ELEGIDO YO.
¡EL SIGUIENTE!
YA BASTA. LA VOTACIÓN HA TERMINADO.

ESTOS SON LOS RESULTADOS DE LA VOTACIÓN...
9

HA RESULTADO ELEGIDO POR NOVENTA Y SEIS VOTOS A FAVOR, DOS EN CONTRA Y UNO EN BLANCO: ¡PITUFO!

¡YUPI! ¡HEMOS GANADO!
¡ENHORABUENA!
¡ELEGIDO! ¡HE SIDO ELEGIDO!
PE... PERO DEBE DE HABER UN ERROR.

¡VIVA PITUFO!
¡BRAVO!
¿SABES UNA COSA, PITUFO? HE HECHO AL PIE DE LA LETRA LO QUE ME PEDISTE. ¡HE VOTADO POR EL PITUFO FILÓSOFO!

PITUFADME AQUÍ UN MOMENTO. TENGO UNA SORPRESA PARA VOSOTROS.

¿QUÉ HABRÁ IDO A PITUFAR?
¿ZARZAPARRILLA?
¿ZUMO DE FRAMBUESA?

¡AHÍ VIENE!
¿EH?

¡JI! ¡JI! ¡JI!
¡PARECE UN PITUFO FLAUTA!
¡QUE COLORADO!
¿POR QUÉ TE HAS PITUFADO UN TRAJE AMARILLO?
NO ES AMARILLO. ES UN TRAJE DE ORO.

PERO PITUFO, ¡NO IRÁS A PASEARTE POR AHÍ DE ESE MODO!
¿POR QUÉ NO?

Y A PARTIR DE AHORA, LLAMADME REY PITUFO.

¡JUAAAA JAJA JA!
¡QUÉ BROMISTA!
¡ESTE PITUFO ES LA MONDA!
¡REY PITUFO! ¡JA! ¡JA! ¡JA!
¡JI, JI, JI! HICIMOS BIEN EN VOTARLE.
Peyo
10

¡JA, JA, JA! ¡JI, JI; JI! JO, JO JO!
¡BLAM!

¡DE MÍ NO SE PITUFA NADIE! ESTO NO PITUFARÁ ASÍ COMO ASÍ. ESTARÍA BUENO.

!
TOC TOC TOC

UN MOMENTO.

ADELANTE.

OYE, REY PITUFO. ¿TE ACUERDAS DE QUE...?
¡ALTO!

¡HÁBLAME DE USTED!

MUY BIEN. COMO QUIERAS. ¿RECUERDA USTED QUE ME HABÍAS PROMETIDO NOMBRARME SOLISTA OFICIAL SI RESULTABAS ELEGIDO? PUES EN FIN, YA QUE HAS SIDO ELEGIDO...

¡TIENES RAZÓN! ¡LO PITUFADO ES DEUDA! PERO...

...PERO PIENSO QUE ESTÁS PITUFADO A MÁS ALTAS EMPRESAS. UN PITUFO DE TU CATEGORÍA NO SE SENTIRÍA A GUSTO CON UNA OCUPACIÓN TAN INSIGNIFICANTE. POR TANTO, HE DECIDIDO PITUFARTE UN PUESTO MUCHO MÁS IMPORTANTE.
¿SÍ?

PITUFO, TE PITUFO EL HONOR INSIGNE Y SIN PRECEDENTES DE PITUFARTE PRIMER PORTAVOZ OFICIAL E IMPRESCINDIBLE DEL REY PITUFO.

Y AHORA MISMO VOY A ENCOMENDARTE UNA MISIÓN.

TOMA, ANÚNCIATE CON ESTO Y PITUFA ESTE AVISO POR TODO EL PUEBLO.
!

PERO... A MÍ LA TROMPETA ES LO QUE ME...
¡NADA, NADA! NO ME DES LAS GRACIAS.

¡RRRAM!
¡BLAM!
¡TARITARAA!
¡PLAM!

ARTÍCULO PRIMERO: LOS PITUFOS DEBEN RESPETO Y OBEDIENCIA AL REY PITUFO. ¡CUALQUIER INCUMPLIMIENTO SERÁ SEVERAMENTE PITUFADO!
Peyo 11

¿SEVERAMENTE PITUFADO?
LO QUE HAY QUE OÍR...
¡ESTO ES DEMASIADO!
BUENO... QUE CONSTE QUE YO NO HAGO MÁS QUE PITUFAR LO QUE ESTÁ PITUFADO AQUÍ...
YA OS ADVERTÍ QUE...

¡ESPERAD! ¡VOY A PITUFARLE CUATRO COSITAS AL REY PITUFO!
¡ES EL PITUFO FORTACHÓN!

¡BUM!
¡BUM!
¡BUM!
?

¿SE PUEDE SABER A QUÉ VIENE TANTA PITUFERÍA?
PERO...

¿ES QUE POR HABER SIDO ELEGIDO TE CREES QUE TODO ESTÁ PITUFADO? ¿TE CREES QUE NOS VAMOS A DEJAR PITUFAR SIN DECIR NADA?
¡OH, NO!

POR ESO NECESITO PITUFOS COMO TÚ.
?

NECESITO ALGUIEN QUE HAGA PITUFAR LA DISCIPLINA ENTRE LOS PITUFOS, Y TUS GRANDES CUALIDADES TE PITUFAN POR DERECHO PARA ESE PUESTO DE CONFIANZA. ¿ACEPTAS?
PUES YO...

BIEN. TE NOMBRO GRAN CAPITÁN (EN JEFE) DE LOS SERVICIOS DE PROTECCIÓN DE LA LEGALIDAD PITUFA. ESCOGE A ALGUNOS PITUFOS PARA QUE TE AYUDEN EN LA TAREA.

¡VERÁN LA QUE LE VA A PITUFAR AL REY PITUFO!
AHÍ VIENE.

¿QUÉ HA OCURRIDO?
¿QUÉ HA OCURRIDO?

TÚ, TÚ Y TÚ, PITUFAD CONMIGO A CASA DEL REY PITUFO.
¿Y YO? ¿Y YO?
?
?
?

¡ATIZA!
¿QUÉ VAN A PITUFAR AHORA?
NO SÉ.

!
?
¡VAMOS! ¡CIRCULAD! Y AL PRIMERO QUE PITUFE, LO PITUFO.
!
Peyo 12

ESTA HABITACIÓN ES INDIGNA DE UN REY PITUFO...

TENGO QUE REMEDIARLO AHORA MISMO.
CRIS
CRAS

¡RRRAM!
PATAPLAM
¡TARITARAAA!

AVISO A LA POBLAPITUFACIÓN: POR ORDEN DEL REY PITUFO, TODOS LOS PITUFOS SE PERSONARÁN DENTRO DE UNA HORA EN LA PITUFA PRINCIPAL CON CUBOS Y AZADAS...

¿QUÉ SE HABRÁ CREÍDO? ¡COMO SI NO TUVIÉRAMOS NADA QUE PITUFAR!
¡Y YO!
¡YO TENGO MONTONES DE COSAS URGENTES QUE PITUFAR!
YA OS HE DICHO QUE YO SOLO...

UNA HORA DESPUÉS...
¡AH! SEGURO QUE ESOS VALIENTES PITUFOS HABRÁN PITUFADO COMO UN SOLO PITUFO A MI LLAMADA...

!
AQUÍ ESTOY, REY PITUFO.

¿DÓNDE ESTÁ EL CAPITÁN?
HORA MISMO VOY A PITUFARLO, REY PITUFO. ¡A TODA PRISA!

¡VE A PITUFARME A TODOS LOS PITUFOS Y TRÁELOS AQUÍ, DE GRADO O POR LA PITUFA!
YO ESTOY AQUÍ, REY PITUFO. PITUFARON QUE TENÍAMOS QUE ESTAR AQUÍ Y YO ESTOY AQUÍ. REY PITUFO, PORQUE YO...

¡ME PITUFARÉ! ESTO NO PUEDE PITUFAR ASÍ.
¡NO TIENE NINGÚN DERECHO A PITUFARNOS ESTO!
¡ES UN ATENTADO CONTRA LOS DERECHOS DE LOS PITUFOS!
¡PITUFARÁ MEJOR QUIEN PITUFE EL ÚLTIMO!
¡ES UNA VERGÜENZA!
Peyo
13

PERO ALGUNAS PITUFAS MÁS TARDE...

A MÍ NO
ME GUSTA PITUFAR
AGUJEROS.

¡A NOSOTROS TAMPOCO!

ESTUPENDO. NADIE ME MIRA. APROVECHARÉ PARA IR A ECHAR UNA PITUFADITA.

!
?

EJEM... VAYA, VAYA, VAYA...

¡PASO AL REY PITUFO!
Z
Z
Z

BUENO... LA COSA NO PITUFA MAL... ¡PERFECTO! ¡SEGUID!
SÍ, REY PITUFO.

¡ADELANTE, PITUFEMOS! EL REY PITUFO HA DICHO QUE HAY QUE PITUFAR...

...Y CUANDO EL REY PITUFO DICE QUE HAY QUE PITUFAR, HAY QUE PITUFAR.

Y EL REY PITUFO TIENE TODA LA RAZÓN, PORQUE EL PITUFO ES SALUD...

...EL PITUFO PITUFICA, COMO DICE EL REY PITUFO. POR ESO YO SIEMPRE LES DIGO A LOS PITUFOS QUE...

PAF
14
Peyo

UNOS DÍAS MÁS TARDE, LAS OBRAS LLEGAN A SU FIN. ¡EL REY PITUFO PODRÁ HACER SU SOLEMNE ENTRADA EN EL PALACIO RESIDENCIAL!

¡TARITARAAA!
PATAPAM
¡POM!
TAC

¡SE NECESITA PITUFADURA PARA...!
SE CREE MÁS PITUFANTE QUE NADIE.
¡SE LO HABRÁ PITUFADO!

¡PUEBLO PITUFO!

¡SOIS UNOS PITUFOS ESTUPENDOS! GRACIAS A PITUFAR CON EL SUDOR DE VUESTRAS FRENTES, HABÉIS CONSEGUIDO PITUFAR ESTE HERMOSO PALACIO. ¡PITUFOS, ESTOY ORGULLOSO DE VOSOTROS!

!
PLAS
BRAVO
PLAS
PLAS

¡VIVA EL REY PITUFO!
15

MÁS TARDE...

TOMA, UN REGALO PARA TI.
¿AH?

¿QUÉ ES? ¿EH? ¿QUÉ ES?

¡BUM!

¡JA JA JA!
¿ASÍ QUE ESAS TENEMOS? ¿EH?

¡PITUFA DELANTE DE MÍ, SO PITUFO! PITUFAR A UN PITUFO EN EL CUMPLIMIENTO DEL SERVICIO TE COSTARÁ CARO.
PERO...
?

SÍ, REY PITUFO. ME DIJO: "TOMA, UN REGALO PARA TI", Y...
... Y EL REGALO TE HA PITUFADO EN PLENA CARA. ¡JA, JA, JA!

VAMOS, SOLDADO. SABES QUE ESA ES LA PITUFOBROMA FAVORITA DEL PITUFO BROMISTA. SI ABRISTE EL PAQUETE, A PESAR DE TODO, TÚ ERES EL ÚNICO CULPABLE.

EN CUANTO A TI, PITUFO BROMISTA, ERES LIBRE. ¡PERO NO REPITUFES! ¿DE ACUERDO?

¡OH, GRACIAS, REY PITUFO! ¡TOMA, UN REGALO PARA TI!
ERES MUY AMABLE, PERO...

...NO TENÍAS POR QUÉ PITUFARTE.
HA SIDO UN PLACER, CRÉEME.

¡JA JA JA!
¡BAM!

¡A LA CÁRCEL!
!

REY PITUFO, NO SOY QUIEN PARA DARTE CONSEJOS, PERO LOS PITUFOS Y YO PITUFAMOS QUE NO HAS PITUFADO BIEN CON EL PITUFO BROMISTA. NO OLVIDES, REY PITUFO, QUE COMO DICE EL PROVERBIO, "PITUFOX POPULI, PITUFOX DEI", Y QUE AL PITUFAR AL PITUFO BROMISTA, HAS...

AQUELLA NOCHE...

!
CLOMP
CLOMP
CLOMP

¡UF!
¡DE BUENA
ME HE PITU-
FADO!

TOC
TOCTOC
TOC
BOUM

¿QUÉ PITUFA MÁS
QUE LA PITUFA DE
MI PITUFO?

¡LA PITUFA DE
MI PITUFO!

PERFECTO.
¡ADELANTE!

¡POR FIN! YA ESTAMOS TODOS.
PODEMOS PITUFAR LA SESIÓN.
18

HERMANOS PITUFOS, HA PITUFADO LA HORA DE PITUFAR AL QUE NOS PITUFA. ¡YA SABÉIS A QUIÉN ME REFIERO!

YO NO. ¿A QUIÉN?

BZZZZ BZZZZ

¡AH, CLARO! ¡AL REY PITUFO!
¡SST!
¡SST!
¡SST!

ESE TIRANO PITUFÓ EL PODER PITUFANDO PROMESAS QUE NO HA CUMPLIDO...
YA OS LO DIJE.

SI ME HUBIERAIS PITUFADO CUANDO OS PEDÍ QUE VOTARAIS POR MÍ, LAS COSAS NO HABRÍAN PITUFADO DE ESTE MODO, PORQUE YO, CUANDO PITUFO ALGO, LO...

RESUMIENDO, HOY HEMOS PITUFADO UNA INJUSTICIA SIN PRECEDENTES: UN PITUFO HA SIDO PITUFADO EN LA CÁRCEL SIN MOTIVOS REALES. POR LO TANTO, ¡ESTAMOS HABLANDO DE UN HÉROE!

¿CÓMO? ¿EL REY PITUFO UN HÉROE? PERO SI YO CREÍA QUE AL CONTRARIO, QUE...
¡NO, ESTÚPIDO! HABLA DEL PITUFO BROMISTA.

ESA HA SIDO LA GOTA QUE A HECHO PITUFAR EL VASO. ¡ABAJO QUIEN YA SABÉIS!
SÍ, SÍ. YA SÉ. ¡ABAJO EL PITUFO BRO-MISTA!

HA LLEGADO LA HORA DE PITUFAR A LA ACCIÓN. PARA EMPEZAR, LIBERAREMOS A AQUEL QUE HA PITUFADO SU LIBERTAD POR NOSOTROS.

¡A LA CÁRCEL!
¡A LA CÁRCEL!
¡A LA CÁRCEL!

NO SABÍA QUE EL REY PITUFO ESTABA EN LA CÁRCEL.
¡CHITÓN!
¡NO ME GUSTAN LOS CHITONES!

CÁRCEL

?
¡EH! ¡PSSST!

¿QUI... QUIÉN VA?

!

¡ÑAM, ÑAM! ¡ZUMO DE FRAMBUESA! "DE PARTE DEL REY PITUFO". ¡QUÉ AMABLE!
PLOP

GLU
GLU
GLU

¡HIP!

RRROOO ZZZ
¡YA ESTÁ! EL SOPORIPITUFO HA HECHO EFECTO. ¡VAMOS!

RRROO ZZZ
¡SST!

¡REPITUFOS! ¡ESTÁ PITUFADO CON LLAVE!

ES INÚTIL. HABRÁ QUE ECHAR LA PUERTA ABAJO.

AL MISMO TIEMPO...
BUENO, VOY A RELEVAR LA GUARDIA...

ZZZ

¿LISTOS? UNO... DOS...

...¡TRES!

CRAC
¿EH?
¿QUÉ ES LO QUE...?
BOOM

¡JAJAJAAAAA!
¡QUÉ GRACIOSOS ESTÁIS CON ESAS MÁSCARAS!
¡SST!

¡ALARMA! ¡EL PRISIONERO SE HA PITUFADO!
!

¡DEPRISA! ¡HAY QUE HUIR!

¡A LAS ARMAS!

¡ALLÁ VAN! ¡PITUFADLOS!
CÁRCEL

¡ALTO! ¡DETENEOS! ¡ES UNA ORDEN!
HABÉIS SIDO MUY PITUFABLES AL LIBERARME. ¡OS OFREZCO ESTE REGALO COMO MUESTRA DE AGRADECIMIENTO!
¡DEPRISA! ¡AL BOSQUE!

RECUERDA QUE EL BUEN PITUFO SIEMPRE ACABA POR TRIUNFAR, REY PITUFO... TARDE O TEMPRANO, PITUFARÁS EL POLVO, PORQUE COMO DICE...

TOC
PAF

¡YO NO HE HECHO NADA! ¡NO HE SIDO YO! ¡SOY INOCENTE, REY PITUFO!
¡TRAEDME A LOS DEMÁS! ¡VIVOS O PITUFOS! ¿ENTENDIDO?
Peyo
21

AL DÍA SIGUIENTE...
HEMOS PITUFADO DURANTE TODA LA NOCHE, REY PITUFO, PERO NO HEMOS LOGRADO ENCONTRARLOS. ¡ES COMO PITUFAR UNA AGUJA EN UN PAJAR!

¡ESPABILAD! OS PITUFO TRES DÍAS PARA TRAERLOS PITUFADOS DE PIES Y MANOS... ¡PITUFAOS!

¡SOY UN HÉROE! ¡UN PITUFO VALIENTE! LOS OTROS VENDRÁN A PITUFARME Y ME PITUFARÁN A HOMBROS.

DOS DÍAS MÁS TARDE...

¡EH, TÚ!
?

¿ADÓNDE VAS?
PUES... AL BOSQUE, A PITUFAR ARÁNDANOS PARA EL REY PITUFO...

HUMM... ESTÁ BIEN.

Pom porompom tralala...

¡EH!
¿DÓNDE ESTÁIS?
¡EH!

¡ALTO!
22
Peyo

NO TE VUELVAS.

PITUFA LAS MANOS DETRÁS DE LA ESPALDA.

¡ADELANTE!

¡ALTO!
?

AHORA ESCOGE: "¡VIVA EL REY PITUFO!" "¡ABAJO EL REY PITUFO!".

PUES YO... ¿TÚ QUÉ ME ACONSEJAS?
¡CONTESTA!

¡ESTÁ BIEN! QUE PITUFEIS LO QUE QUERÍAS CONMIGO, PERO.... ¡ABAJO EL REY PITUFO!

¡YUPIII!
¡ES DE LOS NUESTROS! ¡DESATADLO!
¡UF!

¿HAS VISTO EL CAMPAMENTO?
ESTUPENDO. ¿VERDAD?
TOMA, UN REGALO PARA TI.

LLEGAS EN BUEN MOMENTO. ESTA NOCHE PITUFAREMOS UN GRAN GOLPE CONTRA EL REY PITUFO.
¿AH?

23
DIJO QUE IBA A PITUFAR ARÁNDANOS, POR ESO LO DEJÉ SALIR DEL PUEBLO. PERO NO HA VUELTO, ¡Y ES EL SEXTO QUE SE VA EN DOS DÍAS!

ESA MISMA NOCHE, CUANDO EL PUEBLO DUERME, UN SINFÍN DE PEQUEÑAS SOMBRAS SE AFANAN MISTERIOSAMENTE...

¿YA ESTÁ?
¡SÍ! ¡PITUFEMONOS, DEPRISA!

AL DÍA SIGUIENTE...
¡AH! HOY BAJARÉ AL PUEBLO Y ESTRECHARÉ LA MANO DE ALGUNOS PITUFOS.

TENGO QUE DISFRUTAR DE MI POPULARIDAD.

¡UN MOMENTO! ¿DE QUÉ ESTÁN PITUFANDO ALLÁ ABAJO?

¡SALUD, MI QUERIDO PUEBLO! ¿QUÉ ES LO QUE PITU...?

!

¡ABAJO EL REY PITUFO!

¡ES UNA VERGÜENZA! ¡UN ESCÁNDALO! ¿QUÉ PANDILLA DE PITUFOS SE HA ATREVIDO A PITUFAR ESO?
¡PITUFOS, REBELAOS!
O EL REY PITU
¡NO PERMITÁIS QUE OS PITUFEN POR MÁS TIEMPO!
¡VIVA LA LIBERTAD!
¡HAN SIDO LOS REBELDES!
¡EL REY PITUFO ES UN...
¡PITUFAD CON NOS CONTRA EL UFO!

¡PITUFADME TODAS ESAS INSCRIPCIONES AHORA MISMO! ¡VAMOS!

¡VOY A PITUFARLES QUE NADIE SE PITUFA ASÍ COMO ASÍ DEL REY PITUFO!
ABAJO EL TIRANO

¡PUES SÍ QUE PITUFAN EN VENIR A LIBERARME!
24
Peyo

¡SOIS UNA PANDILLA DE INÚTILES! ¡OS PITUFÉ TRES DÍAS PARA TRAERME A LOS REBELDES! ¿DÓNDE ESTÁN, EH? ¿DÓNDE?

ES QUE... SOMOS POCOS... EL BOSQUE ES MUY GRANDE Y...
¡BASTA! ¡ROMPED FILAS!

TIENE RAZÓN. HABRÍA QUE PITUFAR UNA EXPEDICIÓN EN MASA, PERO, ¿CÓMO PITUFAR A LOS PITUFOS?

¡JE, JE! CREO QUE YA LO TENGO.

¡BADAM!
¡BAM!
¡TOC!
TARITIII
?

¡AVISO A LA POBLACIÓN PITUFA! ¡CIERTOS ELEMENTOS PERTURBADORES AMENAZAN CON PITUFAR EL DESORDEN EN NUESTRO QUERIDO PUEBLO! EL REY PITUFO HA DECIDIDO PITUFAR UNA EXPEDICIÓN DE CASTIGO AL BOSQUE DONDE SE PITUFAN LOS ENEMIGOS DEL PUEBLO PITUFO.

LOS VOLUNTARIOS QUE SE PITUFEN A LA EXPEDICIÓN PITUFARÁN DE GRANDES VENTAJAS: DOBLE RACIÓN DE ZARZAPARRILLA, DÍAS DE DESCANSO, AGRADECIMIENTO DEL REY PITUFO...
¡BAH!
¡PUAH!
¡PFFF!

...ADEMÁS, SE LES OTORGARÁ UNA ESPLÉNDIDA CONDECORACIÓN: LA MEDALLA DEL GRAN PITUFADOR DEL REY PITUFO, DE ORO PURO, CON CRUZ Y PALMERAS.

¡YO ESTABA ANTES!
¡NO PITUFÉIS LOS DE AHÍ ATRÁS!
¡A LA PITUFA, COMO TODO EL MUNDO!
¡NADA DE PITUFARSE! ¿EH?
OFICINA DE RECLUTAMIENTO

25

¡ALTO!

Y AHORA PITUFADME BIEN.

REGISTRAREMOS EL BOSQUE HASTA QUE PITUFEMOS EL CAMPAMENTO DE LOS REBELDES.

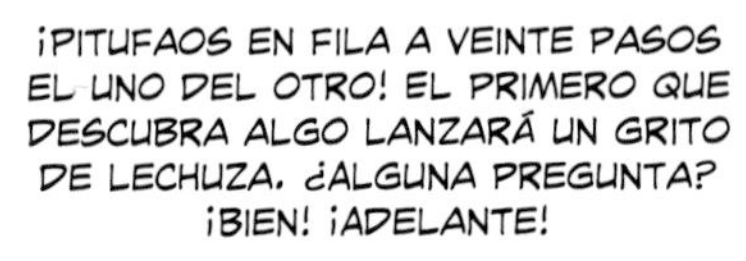

¡PITUFAOS EN FILA A VEINTE PASOS EL UNO DEL OTRO! EL PRIMERO QUE DESCUBRA ALGO LANZARÁ UN GRITO DE LECHUZA. ¿ALGUNA PREGUNTA? ¡BIEN! ¡ADELANTE!

¡TENGO QUE AVISAR A LOS DEMÁS!

... Y LO PONES A PITUFAR A FUEGO SUAVE DESPUÉS DE HABER PITUFADO UN PUÑADITO DE NUECES PICADAS.
¡HUM! ¡QUÉ RICO DEBE DE ESTAR ESO!
¡SILENCIO!

¡VAYA! ¿ASÍ ES COMO BUSCAS EL CAMPAMENTO?
¡BAH! LOS DEMÁS LO PITUFARÁN SIN MÍ.

¡VAGO! ¡HOLGAZÁN! ¡YA TE PITUFARÉ YO, PITUFISTA!
BUENO, BUENO...

¡UUUUUUUUUH!
¡EL GRITO DE LA LECHUZA!
26
Peyo

¡UUUUUUUH!
¡ES LA SEÑAL! ¡HAN PITUFADO EL CAMPAMENTO ENEMIGO!

¡UUUUUH!
¡NO, NO! ESE ES EL AULLIDO DEL LOBO. EL GRITO DE LA LECHUZA ES MÁS GRAVE. ESCUCHA...
!

¡BASTA YA, ESTÚPI-DOS! ¡TENÉIS QUE LANZAR ESE GRITO SOLO SI VEIS EL CAMPAMENTO!

¡UUUUUUUH!

¡UUUUUUUH!
¡POR ALLÍ! ¡SEGUIDME!
ESE TAMPOCO ES EL VERDADERO GRITO DE LA LECHUZA. ES DEMASIADO GRAVE.

¡UUUUH! ¡AY! ¡AY! ¡AY! ¡AY!

¡UUUUUUUH!

EN CAMBIO, ESE SÍ QUE ES EL GRITO DE LA LECHUZA. ¿PITUFAS LA DIFERENCIA?
¡UUUUUUH!

¿EH? ¿DÓNDE SE HA PITUFADO ESE...?

¡UUUUUH!
?

¡UUUUUH!

¡BUABUABUAAA!
NO, NO. ES UUUH.
YA DECÍA YO QUE ERA UNA IMITACIÓN PERFECTA.

¡REY PITUFO! ¡ALLÍ! ¡MIRAD!
27

¡OOOH!
EL CAMPAMENTO NO ESTÁ EN ESA DIRECCIÓN.

¡ES UNA TRETA PARA DESPISTARNOS! ¡POR AQUÍ, MIS PITUFOS!

PITUFAMOS SOBRE LA BUENA PISTA.
REPITUFAD EL CAMINO ANDADO

¡QUE NO! ¡POR AQUÍ NO ES!
¡QUÉ INGENUOS!

¡CUIDADO! SOBRE TODO, NO MIRÉIS HACIA ARRIBA
¡AH! ¿NO? ¿POR QUÉ NO?

¡PLOF!
¡PLOF! ¡PLOF!

YA OS LO DIJIMOS ¡JO, JO!

MIENTRAS...
ESTOS MATORRALES SON CADA VEZ MÁS ESPESOS. ¡LOS REBELDES NO ESTÁN POR AQUÍ, SEGURO!

!

¡EL CAMPAMENTO!

¡HE PITUFADO EL CAMPAMENTO!
28

¡EH! ¡VENID! ¡DEPRISA!
?

¡HE PITUFADO EL CAMPAMENTO DE LOS REBELDES!
¡NO!
¿EN SERIO?

¡PITUFADME! ¡ES POR AQUÍ!

!

¡ALARMA!
¡UNOS PITUFOS DEL REY PITUFO PITUFAN HACIA AQUÍ!

¡EH!
¡ESTAMOS DE VUESTRA PARTE!
¡VIVAN LOS INSU-RRECTOS!
!?

MIENTRAS, UN POQUITO MÁS LEJOS...
¿DÓNDE PITUFOS PUEDE ESTAR ESE CAMPAMENTO?

¿EH?

¡UN REGALO! DEBE DE SER PARA MÍ. ¡QUÉ EMOCIÓN!

MÁS TARDE...
POR TODAS PARTES, REY PITUFO. HEMOS PITUFADO POR TODAS PARTES SIN PITUFAR NADA.
?

CAMBIAREMOS DE TÁCTICA: CAPTURAD A UN REBELDE Y LE PITUFAREMOS HASTA QUE NOS PITUFE DÓNDE SE ENCUENTRA SU CAMPAMENTO.

¡PITUFAR A UN REBELDE! COMO SI FUERA TAN FÁCIL. HABRÁ QUE PITU-FAR UN SISTEMA PARA HACERLOS SALIR DE SU ESCONDITE.

¿Y CÓMO RECONOCEREMOS A UN REBELDE?
¡PUES EN QUE NO LLEVARÁ ME-DALLA!
!

¡SAPRISTI! TENGO UNA IDEA.
29
Peyo

ME QUITO LA MEDALLA, DEJO EL ARMA...

...ASÍ LOS REBELDES ME PITUFARÁN POR UNO DE LOS SUYOS.

Y CUANDO APAREZCA UNO DE ELLOS, ¡ZAS! ¡ME PITUFARÉ SOBRE ÉL!

¡AQUÍ HAY UNO!

¿ESTÁIS LOCOS? ¡SOLTADME! ¡SOY EL JEFE DE LA GUARDIA!
¡EL JEFE DE LA GUARDIA ES EL PITUFO FORTACHÓN!
¡YO SOY EL PITUFO FORTACHÓN!

¿AH, SÍ? ¡DEMUÉSTRALO!

PAF
BING
PLOF

PUES... AHORA QUE LO DICE... PUEDE QUE SEA VERDAD.

LOS REBELDES CAERÁN COMO BOBOS EN ESTA TRAMPA.
¡JE, JE! ¡QUÉ ASTUTO SOY!

¡ZARZAPARRILLA! ¡A LA RICA ZARZAPARRILLA!
¡ÑAM, ÑAM!
VOY A POR LEÑA PARA AVIVAR EL FUEGO.

¡YA ESTÁ! ¡AL ATAQUE!
¡SLURP! ¡MMM! ¡ÑAM!

¡MI TRAMPA! ¡PANDILLA DE PITUFOS! ¡ERA PARA LOS REBELDES! ¡PARAD YA!
¡GLU!
¡GLU!
¡SLURP!
30

¿QUÉ? ¿HABÉIS CAPTURADO ALGÚN REBELDE?
POR DESGRACIA NO, REY PITUFO.

¡PUES PITUFAD ALGO, CORCHO! NO SÉ... CAVAD HOYOS, POR EJEMPLO.

ES BUENA IDEA.

¡QUÉ PRECIOSO AGUJERO!

HA QUEDADO BIEN DISIMU-LADO.

¡BUEN TRABAJO! AHORA ME PITUFARÉ ENTRE LOS MATORRALES Y...

¡BUM!

¡MI AGUJERO! ¿QUÉ ESTÁS PITUFANDO EN MI AGUJERO?

¡REY PITUFO! ¡REY PITUFO! ¡HA PITUFADO MI HERMOSO AGUJERO!

¡MI AGUJERO!
¡BUM!

¿QUÉ PITUFOS OCURRE? ¿A QUÉ VIENEN ESOS GRITOS?

¡BUM!

¡MI AGU-JERO!
BUM
¿POR QUÉ NO MIRAS DÓNDE PITUFAS LOS PIES?
¿QUIÉN HA SIDO EL PITUFISTÚ-PIDO QUE HA PITUFADO UN AGUJERO AQUÍ?
¡BUM!
¡SACADME DE AQUÍ!
¡ESTOY HARTO! ¡MÁS QUE HARTO!
¡A LA CÁRCEL! ¡QUE METAN EN LA CÁRCEL AL QUE HA PITUFADO ESTE HOYO!
31

AL ANOCHECER...
ES INÚTIL. ESTAMOS PITUFANDO EL TIEMPO.
¡REÚNE A MIS PITUFOS! PITUFAMOS AL PUEBLO.

RAMBLAMBLAM
PATAPLAM
¡PAM!
¡TARITIII!

¿ESTÁIS TODOS AQUÍ? HUBIERA PITUFADO QUE ÉRAMOS MÁS.

ES QUE... FALTA UNA DOCENA, REY PITUFO... DEBEN DE HABERLOS CAPTURADO LOS REBELDES O BIEN...
¡O BIEN SE HAN UNIDO A ELLOS!
¡VAMOS! ¡EN MARCHA!

Y EL PEQUEÑO EJÉRCITO ABANDONA EL BOSQUE EN UNA RETIRADA VERGONZOSA...
¡JI! ¡ JI! ¡ JI !
¡JA! ¡JA! ¡JA!
¡TOMA, UN REGALO PARA TI!

YA ES DE NOCHE. SOLO LA VENTANA DEL REY PITUFO PERMANECE ILUMINADA.

¡SE HAN IDO DOCE PITUFOS! ¡Y SE MARCHARÁN MUCHOS MÁS!

A MENOS QUE PITUFE SERIAS MEDIDAS...

¡JE, JE...! YA SÉ LO QUE VOY A HACER.

AL DÍA SIGUIENTE...
RAMBLAMBLAM
PATAPLAM
¡PAM!
¡TARITIII!

¡AVISO! PARA DEFENDER A LA POBLACIÓN PITUFA CONTRA LOS REBELDES, EL REY PITUFO HA DECIDIDO MANDAR LEVANTAR UNA MURALLA EN TORNO A LA CIUDAD. TODOS LOS VOLUNTARIOS SE PITUFARÁN CON PICOS Y PALAS EN LA PLAZA MAYOR.

EN RECOMPENSA, RECIBIRÁN OTRA PRECIOSA MEDALLA.
¡PFFFF!
YA TENEMOS UNA.

POR EL CONTRARIO, LOS QUE NO SE PRESENTEN VOLUNTARIOS SERÁN PITUFADOS EN **LA CÁRCEL.**

Y A PROPÓSITO DE CÁRCEL...
¿POR QUÉ PITUFAN TANTO? ¿QUÉ ESPERAN PARA VENIR A PITUFARME?
32

ESTA EMPALIZADA, ¿ES PARA IMPEDIR QUE LOS REBELDES ENTREN O PARA IMPEDIR QUE NOSOTROS SALGAMOS?
SEA LO QUE SEA, YO YA HE PITUFADO MIS PRECAUCIONES.

¡JA, JA! ¡QUÉ BUENA IDEA!

¡BING!

¿QUIÉN ES EL PITUFO QUE SE PITUFA LANZANDO PEDRUSCOS?
¡ES UN MENSAJE PARA EL REY PITUFO!

¡REY PITUFO! ¡HAY UN MENSAJE PARA USTED!
?

¡BING!

"REY PITUFO, SI NO ABDICAS MAÑANA, A LA SALIDA DEL SOL, PITUFAREMOS AL ATAQUE. LOS REBELDES".

¿ABDICAR YO? ¡JAMÁS!

NO LO COMPRENDO. TENDRÍAN QUE HABER VENIDO A LIBERARME HACE MUCHO TIEMPO.
33

AL DÍA SIGUIENTE, ANTES DEL ALBA...
¡TODOS A SUS PUESTOS! PITUFAD LOS DISPOSITIVOS DE DEFENSA.

¡TÚ, PITUFA EL OJO! ¡Y EL BUENO!

¡JA, JA! YA PUEDEN VENIR. LES PITUFO A PIE FIRME.

¡ES VERGONZOSO! ¡NO SE DEJA A UN HÉROE COMO YO PITUFARSE TANTO TIEMPO EN LA CÁRCEL! SE LO DIRÉ CUANDO VENGAN A LIBERARME. ¡FALTARÍA MÁS!

YA AMANECE.
¡AHÍ VIENEN LOS REBELDES! ¡ALARMA!

¿QUÉ? ¿ABDICAS?
¡JAMÁS!

MUY BIEN.

¡PITUFOS! ¡VAMOS A PITUFAR LA BATALLA! ¡LA VICTORIA SERÁ NUESTRA PORQUE SOMOS LOS MÁS FUERTES! ESTOY SEGURO DE QUE PITUFARÉIS COMO UNOS PITUFOS VALIENTES, Y QUE ANTES QUE RENDÍROS, PREFERIRÉIS PITUFAR EN VUESTROS PUESTOS. ADEMÁS, LOS QUE NO LO PREFIERAN, SERÁN PITUFADOS POR LAS ARMAS.

¡SPLATCH!

¡AL ATAQUE!
A MÍ NO ME GUSTA EL ATAQUE.
Peyo
34

¡ATENCIÓN! A MI ORDEN...

¡PITUFAD!

¡PLATCH!
¡PLATCH!

PERO... ¡SI SON TOMATES!
SLURP

¡ÑAM, ÑAM! ¡QUÉ RICOS ESTÁN LOS TOMATES! ¡EH! ¡MÁS! ¡MÁS!

¡ADELANTE, PITUFOS! ¡QUE NADA NOS DETENGA!

¿QUÉ PASA? ¿QUÉ ES TODO ESE JALEO?

¡VIVA! ¡LOS REBELDES! ¡VIENEN A LIBERARME! ¡A MÍ, A SU HÉROE!

¡SPLATCH!

¡CUIDADO! ¡HAN CONSEGUIDO PITUFAR UNA ESCALERA EN LA EMPALIZADA!

¡ADE-LANTE!
PLOTCH

¡DEPRISA!

¿EH? ¿QUÉ ESTÁN PITUFANDO SOBRE LA ESCALERA?

PERO SI ES... **¡COLA!**

¡NO! ¡NO! ¡NO!
SÍ, SÍ, SÍ.

¡PUM!

¡NO OS QUEDÉIS AHÍ PARADOS! ¡PITUFAD ALGO!
Peyo
35

¡VICTORIA! ¡SE BATEN EN PITUFADA!

¡FLATCH!

NO CONSEGUIREMOS PITUFAR JAMÁS CON LAS ESCALERAS. HAY QUE PITUFAR OTRO SISTEMA.

¿Y SI DERRIBÁRAMOS LA EMPALIZADA A GOLPES DE ARIETE?
¡MEJOR PITUFARLE FUEGO!
¡NO! PROPONGO PITUFAR UN AGUJERO GIGANTE CON UNA BARRENA GIGANTE.
¿Y SI PITUFÁRAMOS UN TÚNEL?
¿Y SI LES OFREZCO UN REGALITO?
VOY A INTENTAR ARROJAR UN GARFIO.

¡EH! ¡HE ENCONTRADO EL MODO! ¡VENID TODOS!

FIJAOS BIEN. YO ME PITUFO AQUÍ. CUANDO ESE PITUFO SALTE DE LA PITUFA, LA FUERZA DE LA GRAVEDAD LE PITUFARÁ HACIA ABAJO, Y COMO TODA ACCIÓN PROVOCA UNA REACCIÓN, YO SALDRÉ PITUFADO POR ENCIMA DE LA EMPALIZADA HACIA EL CAMPAMENTO DEL REY PITUFO. YA SÉ QUE DICHO ASÍ PARECE COMPLICADO, PERO ES PITUFÍSIMO. MIRAD...

¡ADELANTE, PITUFO!

¡BUM!

¡CLAP!
¡CLAP!
¡CLAP!
¡CLAP!
¡CLAP!

¡EH! ¡HE CONSEGUIDO ENGANCHAR EL GARFIO EN LA EMPALIZADA! ¡VENID!
36

¡VAMOS, PITUFAD!
¡EPAAA!

¡CRRRAC!

¡ADELANTE!
!

¡DEPRISA! ¡TAPAD ESA BRECHA! ¡DETENED AL ENEMIGO! ¡VAMOS, PITUFAOS!

¡FLATCH!

COMIENZA ENTONCES UNA TERRIBLE ESCENA DE LUCHA PITUFICIDA. TRÁGICO EPISODIO DE LA HISTORIA DE LOS PITUFOS QUE ES PRECISO REFLEJAR EN TODA SU CRUDEZA...
¡TOMA! ¡AHÍ VA UN REGALITO!
¡ÑAC!
¡AY!
¡GRRR!
¡PLAF!
¡BING!
¡TOC!
¡BLAM!
¡PLAF!
TOC
A MÍ NO ME GUSTAN LOS BING, NI LOS PLAF, NI LOS TOC, NI LOS BUM, NI LOS...

¡EL LABORATORIO DE PAPÁ PITUFO!
LABORATORIO PROHIBIDO PITUFAR

¡BAM!
¡CRAC!

¡JA, JA, JA! HE PITUFADO LO QUE QUERÍA. ¡LA QUE SE VA A PITUFAR!
37

DENTRO DE UN INSTANTE SERÉ LIBRE.
¡JA, JA, JA!

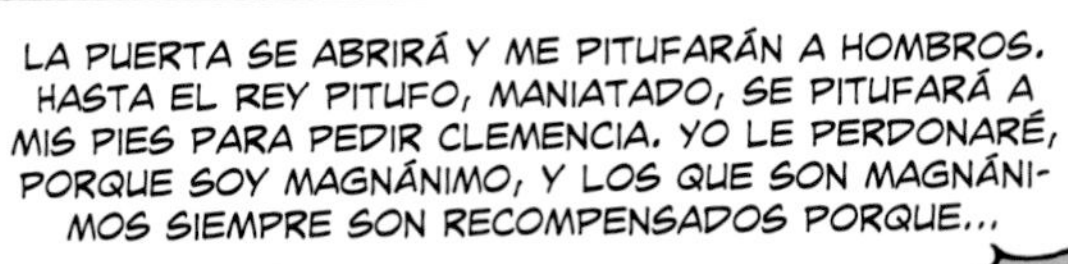
LA PUERTA SE ABRIRÁ Y ME PITUFARÁN A HOMBROS. HASTA EL REY PITUFO, MANIATADO, SE PITUFARÁ A MIS PIES PARA PEDIR CLEMENCIA. YO LE PERDONARÉ, PORQUE SOY MAGNÁNIMO, Y LOS QUE SON MAGNÁNIMOS SIEMPRE SON RECOMPENSADOS PORQUE...

PSSSS
NITROPITUFINA

¡BUUM!

¡MI PALACIO! ¡LOS... LOS VÁNDALOS HAN PITUFADO MI HERMOSO PALACIO!

¡TODO ESTÁ PERDIDO! SOLO ME QUEDAN MIS LEALES SOLDADOS...

¡A POR ELLOS, MIS FIELES!

¡RENDÍOS!
¡PITUFOS!

ESTÁ BIEN, VOSOTROS LO HABÉIS QUERIDO. ¡A LA CAAAARGA!

¡DETENEOS!
?
!
38

*SE TRATA, COMO YA HABRÉIS ADIVINADO, DE LA POPULAR CANCIÓN PITUFESA.

¡BRAVO! VEO QUE, A PESAR DE TODO, SEGUÍS SIENDO UNOS BUENOS PITUFOS. ¡OS PERDONO A TODOS!
¡YUPIII!

¡TRALALARÁ! ESTO HAY QUE CELEBRARLO. AQUÍ TRAIGO UN REGALITO.
!

¿NO LO QUIERES, PITUFO GOLOSO? ¡ES PARA TI!
¡AH, NO! ¡GRACIAS!

¿Y TÚ? ¿Y TÚ?
¡NO!

PERO..., ¿POR QUÉ TODOS PITUFAN MI REGALO?

¡AH, PAPÁ PITUFO! TOME, UN REGALO PARA FESTEJAR SU REGRESO.
¡AH!
¡AY!

¿QUÉ ES?

¡OH, MUCHAS GRACIAS! ERES MUY AMABLE.
?

¡UN PASTEL DE PITUFONATA! ¡MI FAVORITO!
!

¿Y QUÉ HACEMOS CON ESTO?

FIN

Peyo 40

PITUFONÍA EN DO

Peyo E YVAN DELPORTE

¡FORTÍSSIMO! ¡FORTÍSSIMO!

¿Y QUÉ CREE QUE ESTOY HACIENDO? ¡SOPLO CON TODAS MIS FUERZAS!

¡BASTA! ¡ES INÚTIL!

¡NO SE PUEDE PITUFAR LA PITUFOFONÍA EN DO CON UN SOLO INTÉRPRETE! NECESITO MÁS MÚSICOS...

YA NOS GUSTARÍA, PERO...
NO TENEMOS INSTRUMENTOS.
NO.

ENTONCES, ¡PITUFADLOS!
¡SÍ!
¡SIII!
¡YUPIII!

¡VOY A PITUFAR UN VIOLÍN!
Y YO UNOS TIMBALES.
YO PITUFARÉ UNA TROMPETA
NO ME GUSTAN LAS TROMPETAS.

PERO DEJEMOS UN MOMENTO A LOS PITUFOS Y VAYAMOS NO MUY LEJOS, A CASA DEL MALVADO BRUJO GARGAMEL.
¡NADA! ¡NUNCA NADA!

LLEVO MESES EXPLO-RANDO EL BOSQUE.

¡EN VANO! NO CONSIGO DAR CON EL PUEBLO DE ESOS ODIOSOS PITUFOS. PERO ALGÚN DÍA LOS ENCONTRARÉ. ¿ME HAS OÍDO, AZRAEL?
MIAU.

Y ENTONCES, ¡ME VENGARÉ!
2
Peyo

MIENTRAS, LOS PITUFOS, ATACADOS POR EL VIRUS DE LA MÚSICA, NO PIENSAN EN OTRA COSA...

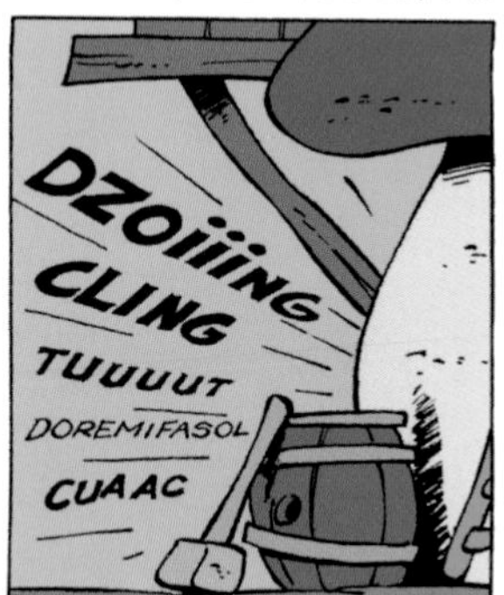

TRABAJAN SIN CESAR EN LA FABRICACIÓN DE INSTRUMENTOS... ¡DÍA Y NOCHE!

¿QUÉ PASA? ¿POR QUÉ HABÉIS DEJADO DE PITUFAR?

PUES... CREO QUE HAS PITUFADO UNA NOTA ERRÓNEA.
¿QUIÉN, YO?

¡VAMOS! NO HA SIDO NADA. OLVIDEMOS EL INCIDENTE Y PITUFEMOS EL MOVIMIENTO. UNO, DOS...
TAP TAP TAP

PUEEET

¡NO PUEDE SER! ESE INSTRUMENTO DEBE DE ESTAR MAL PITUFADO. DEJA QUE PRUEBE YO...
PERO...

PUES NO. PITUFA BIEN.
¡PUES CLARO! ¿POR QUÉ IBA A PITUFAR MAL?

ESO ES QUE TÚ NO SABES PITUFAR. ANDA, PRUEBA MI PITUFOMBÓN.

PUEEET

EJEM. PRUEBA AHORA EL ARPA.
¿POR QUÉ? ¿NO LO HE HECHO BIEN?

PUUEEEEEEET

PUEDE QUE CON EL ARMONIO...
PERO SI YO...

PUEEET

¿Y EL TRIÁNGULO?

PUEET

NO HAY NADA QUE HACER. ¡NO PITUFA NI UNA!
A MÍ, LOS QUE NO SABEN PITUFAR ...
¿Y SI LE PUSIÉRAMOS DE DIRECTOR DE ORQUESTA, PAPÁ PITUFO?
¿QUÉ PASA?
PROBEMOS.

TAP
TAP
TAP

¡ATENCIÓN! ANDANTE PITUFIOSSO. UNO, DOS...

PUEEEET

¡BASTA! ¡ERES UN PITUFO A LA IZQUIERDA!
NO TIENES OÍDO PARA LA MUSICA
¡NO VUELVAS A PITUFAR MÁS!
¡VETE A PITUFAR!
¡NO HACES MÁS QUE DESAPI-TUFAR!

¡ES INJUSTO!

SÍ, ES INJUSTO.

ESTÁN CELOSOS PORQUE PITUFO MUCHO MEJOR QUE ELLOS. ¡ESO ES!

MUY BIEN. ELLOS LO HAN QUERIDO. ¡PITUFARÉ PARA MÍ SOLO!

PUEEET

EEEUUEEEET
?
5
Peyo

PUUEEEEEETPUUE-EEEPUUPUUEEEEETUUEEE-EEETPUUEEETPUUEEETPUUEE
¡CIELOS! ¿QUÉ ES ESE HORRIBLE ALARIDO?

PARECE EL GEMIDO DE UN DRAGÓN HERIDO DE MUERTE...

O EL AULLIDO DE UN HIPOGRIFO.

EEEEUEEEEPUUE
A MENOS QUE SEA...

¡UN PITUFO!
!!

¡MIRA QUE DECIR QUE YO NO SE PITUFAR!

¡ALGÚN DÍA PITUFARÁN HABERME EXPULSADO DE LA ORQUESTA!

¡JA, JA! CREO QUE YA SÉ CÓMO VENGARME.

¡PERO DEBO DARME PRISA!

¡JA, JA, JA!

VEAMOS... AQUÍ DENTRO ENCONTRARÉ TODO LO QUE NECESITO.
?

POQUÍSIMO MÁS TARDE...
TENGO HAMBRE. REGRESARÉ AL PUEBLO.

PERO SI SE LES OCURRE PEDIRME QUE PITUFE SU PITUFA SINFONÍA, LES DIRÉ QUE SE VAYAN A PITUFAR A...

¡LES DIRÁS QUE ACEPTAS!
?
6
Peyo

QUI... ¿QUIÉN ERES?
¡NO TEMAS! SOY EL HADA AURORA.

SÉ QUE TU CORAZÓN ALBERGA UN DESEO SECRETO. ¡DIME CUÁL ES Y LO HARÉ REALIDAD!

¿DE VERDAD? PUES QUIERO UN PITUFO GRANDE, BIEN GRANDE, ¡LLENO DE ZARZAPARRILLA!

NO, ESTÚPI... NO, GUAPO, NO ES ESO LO QUE QUIERES. LO QUE DESEAS ES CONVERTIRTE EN MÚSICO...

¿AH? SÍ, SÍ, PERO LOS DEMÁS DICEN QUE NO SE PITUFAR...

PUES BIEN, YO, EL HADA AURORA, VOY A HACERTE UN REGALO MARAVILLOSO QUE TE CONVERTIRÁ EN...

¡AH!
¿QUÉ OCURRE?

¡UN... UN GATO! ¡ES AZRAEL!

¡LARGO, AZRAEL! ¡LARGO DE AQUÍ!
¿MIAU?

¿QUIERES LARGARTE DE UNA VEZ, MALDITO ANIMAL?

¡EH, PITUFITO! ¿DÓNDE TE HAS METIDO?

ESTOY AQUÍ... ¿SE HA IDO?
SÍ. CON UN SOLO TOQUE DE MI VARITA HE CONVERTIDO A ESE MALVADO MININO EN UN TRÉBOL DE CUATRO HOJAS.

Y AHORA TE OFREZCO HACER REALIDAD TU DESEO: ¡ESTO ES UN TURLUSIFÓN, UN INSTRUMENTO MÁGICO CUYAS NOTAS SON TAN SUAVES QUE JAMÁS DESAFINA!

¡OH, GRACIAS, SEÑORA HADA! AHORA MISMO VOY A PITUFÁRSELA A LOS DEMÁS PITUFOS.
MUY BIEN, DATE PRISA.

¡VAYA CARA PITUFARÁN LOS PITUFOS CUANDO PITUFEN EL TURLUSIFÓN!

¡JE, JE, JE! AHORA NO TENGO MÁS QUE SEGUIRLO Y AVERIGUARÉ DÓNDE ESTÁ EL PUEBLECITO DE LOS PITUFOS.
7
Peyo

¡EH, PITUFOS! ¡HE ENCONTRADO UN INSTRUMENTO NUEVO!
¡ES ÉL OTRA VEZ!
¡AY, AY, AY!
A MÍ NO ME GUSTAN LOS INSTRUMENTOS NUEVOS...

¡ES UN TURLUSIFÓN! PITUFAD MUCHA ATENCIÓN, PORQUE VOY A PITUFAOS UNA MELODÍA.
¡AH NO!
DE ESO NADA.
¡CONSEGUIRÁS QUE PITUFE A CÁNTAROS!

¡NO TEMÁIS! ES UN INSTRUMENTO MÁGICO. NO PUEDE DESAFINAR.
YA.
BUENO, PERO DATE PRISA.

TURLUSIFLUUUUUIT

PE... PERO... ¿QUÉ ESTÁN PITUFANDO ESTOS? ¿QUÉ OCURRE?

¡EH, PAPÁ PITUFO! ¡PAPÁ PITUFO! ¡PITÚFAOS!

¡ES HORRIBLE! NO HAY MODO DE PITUFARLOS. TENGO QUE ENCONTRAR A LA BUENA HADA AURORA.

¿ME BUSCABAS, PITUFITO?
?

¡JA JA JA!
¡GARGAMEL!

¡POR FIN HA LLEGADO LA HORA DE MI VENGANZA!
¡SERÁS PITUFOMALVADO! ¿QUÉ PRETENDES HACERLES A LOS PITUFOS?

YO NADA.

¡ERES TÚ EL QUE LES HA HECHO PERDER EL CONOCIMIENTO AL TOCAR EL TURLUSIFÓN! ¡JA! ¡JA! ¡JA! ¡YA TE ADVERTÍ QUE ERA UN INSTRUMENTO MÁGICO!

AHORA SOLO ME FALTAS TÚ. CUANDO TE HAYA LIQUIDADO, MI VENGANZA SERÁ COMPLETA.

YA NO QUEDARÁ UN SOLO PITUFO SOBRE LA TIERRA. ¡JA! ¡JA! ¡JA!

¡ES INÚTIL QUE INTENTES ESCAPAR!

¡NADIE ESCAPA...

A GARGAMEL!

¡JA! ¡JA! ¡JA!

?
¿DÓNDE SE HA METIDO?

POP
?

¡AJÁAA!

¡JA! ¡JA! ¡JA!

¡ESTA VEZ ERES MÍO!
!
9
Peyo

CRRRAC

¡GRRR!

¡PLAS!

¡TE AGARRARÉ, SO BRIBÓN!

¡AY! ¡EL RÍO!

PLITCH

¡JA! ¡JA! ¡JA! ¡YO TAMBIÉN SÉ NADAR!

¡PLOC!

CORRE, ODIOSA MINIATURA. ¡TE ATRAPARÉ DE TODOS MODOS!
PLITCH
PLATCH

¡JA! ¡JA! ¡JA! PIERDE TERRENO. YA ES MÍO.

¡UNA MADRIGUERA! ¡ESTOY PITUFADO!

¡YA PUEDES REZAR!

ME JURÉ A MÍ MISMO QUE ACABA-RÍA CON TODOS VOSOTROS.

Y TE ANIQUILARÉ.

¡COMO A TODOS LOS DEMÁS!
10
Peyo

¡JA! ¡JA! ¡JA!

¡AY! TENGO UNA PIE...¡AY! PIEDRA EN EL ZAPATO.

¡FFF! NO PUEDO... PFFF, MÁS. ¡AY!

¡AY! ¡CÓMO ME DUELE LA ESPALDA! ¡AY!

¡OH, NO! AHORA TENGO UN CALAMBRE EN UNA ¡AY! PIERNA...

¡AY! ¡UY! ME HA... PFFF. ¡ME HA DADO TORTÍCOLIS!

Y PARA COLMO... TE... AGH... TENGO... URGH.... ARDOR DE ESTÓMAGO.

¡PLOF!

¡BELEBELEB!

¡UF! ¡DE BUENA ME HE PITUFADO! TENGO QUE VOLVER AL PUEBLO...

¡AAAY! ¡QUÉ CAÍDA!

ESE ODIOSO ENANITO HA APROVECHADO LA OCASIÓN PARA ESCAPAR, PERO DARÉ CON ÉL, PALABRA DE GARGAMEL.

SEGURO QUE HA REGRESADO A LA ALDEA. YO TAMBIÉN IRÉ PARA ALLÁ. CONOZCO BIEN EL CAMINO. ¡JA! ¡JA! ¡JA!
Peyo
11

ES POR AQUÍ...

¡QUÉ EXTRAÑO! NO RECUERDO HABER PASADO ANTES POR ESTE CAMINO.

¡NO! NO PUEDE SER.

¡BRRRR! ¡ME HE PERDIDO! ¡JAMÁS CONSEGUIRÉ DAR DE NUEVO CON EL PUEBLO DE LOS PITUFOS! ¡BUUUAAA! ¡ES INJUSTOOOO!

MIENTRAS...
¡POBRES PITUFOS! TIENE QUE HABER UN MEDIO DE QUE VUELVAN EN SÍ...

¡EH! ¡PITÚFATE, PITUFO!
PAF
PAF
PAF

PUEDE QUE CON UN POCO DE AGUA FRÍA...
¡PLAS!

...O CON LA PITUFACIÓN ARTIFICIAL.

¡SAPRISTI! ¿CÓMO NO SE ME HABRÁ PITUFADO ANTES?

ENTRE TODAS LAS PÓCIMAS DE PAPÁ PITUFO SEGURO QUE HAY UNA QUE ME PITUFARÁ...

ES INÚTIL. NADA FUNCIONA.
GLU GLU
GLU

¡EH! EL PITUFO GOLOSO. ESO ME DA UNA IDEA.

¡VAYA, QUÉ RICA ZARZAPARRILLA! SLURP... SLURP. ¡ESTÁ PARA PITUFARSE LOS DEDOS!

¡NO HAY NADA QUE HACER! ES UNA AUTÉNTICA CATASTROPITUFA...
12
Peyo

¡Y TODA LA CULPA LA TIENE EL DICHOSO TURLUSIFÓN!

¡INSTRUMENTO PITUFOSO DEL PITUFOSO GARGAMEL! ¡TE VOY A MANDAR A...!

¡EH! AHORA QUE LO PIENSO...

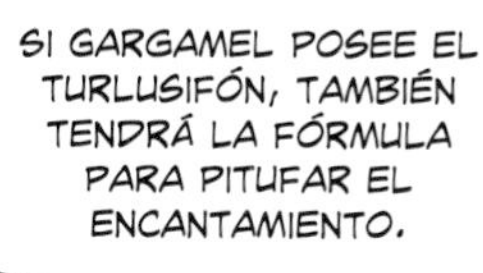

SI GARGAMEL POSEE EL TURLUSIFÓN, TAMBIÉN TENDRÁ LA FÓRMULA PARA PITUFAR EL ENCANTAMIENTO.

¡EH, PITUFOS! VOY A CASA DE GARGAMEL A PITUFAR EL REMEDIO A VUESTRO ENCANTAMIENTO. NO PITUFARÉ EN VOLVER.

¡RATONERAS! ¡JAULAS! ¡HOJAS DE ZARZAPARRILLA ENVENENADAS! ¡JA, JA!

¡LLENARÉ EL BOSQUE DE TRAMPAS Y ESE DICHOSO PITUFO ACABARÁ POR CAER EN ALGUNA!

¡LO ATRAPARÉ! ¡VAYA QUE SÍ!

VAMOS A VER... ¿DÓNDE ESTARÁN LOS TRATADOS DE MAGIA?

¡AH! ¡YA LOS VEO!
!

ES CURIOSO. JURARÍA QUE ME ESTÁN MIRANDO, PERO AQUÍ NO HAY NADIE...

¡AH!

¡AZRAEL! ¡ESTO ES EL FIN!

¡ESTOY PERDIDO!

¡AH, NO! ¡TODAVÍA NO!

¡ALTO!
?

TURLUSIFLUUIT

¡UF! YA ESTÁ. SE HA TURLUSIFONADO.

¡OJALÁ LA FÓRMULA QUE PITUFO SE ENCUENTRE EN UNO DE ESOS LIBROS!

¡HOP!

"EL USO DE LA PIEDRA FILOSOFAL", "MAGIA NEGRA", "NO JUEGUE CON LOS AMULETOS", "CUBOS, ÍNCUBOS Y SÚCUBOS", "LOS FILTROS DEL AMOR", "EL ENCANTAMIENTO AL ALCANCE DE TODOS"...

¡MIL DIABLOS! SE ME HA OLVIDADO EL MARTILLO PARA CLAVAR LAS TRAMPAS.
Peyo
14

!?

¡GARGAMEL!
¡Y NO TENGO EL TURLUSIFÓN!

¡EL PITUFO!

¡DEPRISA!
¡DEPRISA!

¡JA, JA, JA!
¡ESTA VEZ ES MÍO!

¡AY! ¡EL TURLUSIFÓN!

¡JA JA JA!
TURLUSIFLUIT
!

TURLUUUT
PAF

FLUiiiT
FLUiiiT

ACEITE DE SÉSAMO

ACE
SÉS

¡NO ESCAPARÁS!
TE VOY A...

WiiiiiiP
15
Peyo

¡JE, JE, JE! AHORA TENDRÁ QUE QUITARSE LOS DEDOS DE LOS OÍDOS SI NO QUIERE PARTIRSE LA PITUFA...
FLLUIIT

PAF

¡EL MUY PITUFO! NO SE LOS HA QUITADO.

TE... TE ATRAPARÉ.

¡SAL DE AHÍ ABAJO, ENANO!

TURLUSIFLUIT
¡TE APLASTARÉ!

¡TE HARÉ PICADILLO!
¡CRAAASH!

¡TE CONVERTIRÉ EN PURÉ DE PITUFO!

¡EN BATIDO PITUFAL!

¡CRAC!
¡CLIN!
¡PLAF!
¡PLOF!
¡CROC!
¡CRAC!
¡PLOF!

ES INÚTIL. MIENTRAS NO TENGA LAS MANOS LIBRES, NO CONSEGUIRÉ ATRAPARLO.

¡EH! ¡YA SÉ LO QUE HARÉ! SALDRÉ DE CASA Y CUANDO ESTÉ LO BASTANTE LEJOS PARA NO PODER OÍR EL TURLUSIFÓN, ME PONDRÉ TAPONES EN LOS OÍDOS.

¡JA, JA, JA!

¡SE VA! ¡VICTORIA!
16
Peyo

NO HAY TIEMPO QUE PERDER. ¡A REVISAR LOS LIBROS!

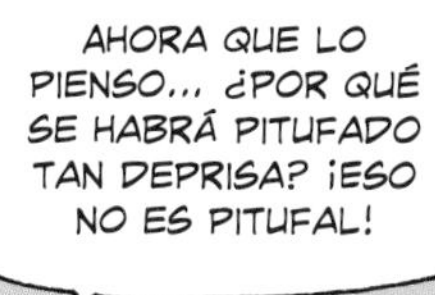
AHORA QUE LO PIENSO... ¿POR QUÉ SE HABRÁ PITUFADO TAN DEPRISA? ¡ESO NO ES PITUFAL!

TODO ESTO ME PITUFA. DEBE HABER UNA EXPLICACIÓN.

¡MIL DIABLOS! ESTOS TAPONES SON DEMASIADO GRANDES. TENDRÉ QUE IR A POR OTROS.

!

¡PLOP!
¡PLOP!

TURLUSIFLUIT
¡DEMASIADO TARDE!

¡YA SÉ! TENGO UN PLAN... LO ATRAERÉ HACIA EL PRECIPICIO.

UNA VEZ AL OTRO LADO, HARÉ CAER EL TRONCO DEL ÁRBOL. ¡JA, JA, JA!

¡SAPRISTI! ¡QUÉ ALTO ESTÁ!
!

TE... TENGO VÉRTIGO.

¡AH!

¡UF!

¡JI, JI, JI!
¡AH, NO! ¡PIEDAD!

¿QUÉ LE PARECE SI ESCUCHAMOS UN POQUITO DE MÚSICA, SEÑOR GARGAMEL?
¡NO!

¡SÍ, SÍ! ¿QUIERE DARME EL "LA", POR FAVOR?
¡NO!

¡PIEDAD, MISERICORDIA! ¡NO VOLVERÉ A SER MALO! ¡PALABRA! ¡BUAAA!

¡NO!
¡ATENCIÓN! UNO, DOS...

¡BASTA! PAPÁ PITUFO SIEMPRE DICE QUE NO HAY QUE PITUFAR EN UN ENEMIGO DESARMADO.

¡BELEBELEB!
?

Y AHORA, ¡DEPRISA, A LA CABAÑA!

¡POR FIN VOY A PODER PITUFAR ESE TRATADO!

"USO DE LOS INSTRUMENTOS MÁGICOS". SEGURO QUE ES ESTE.

¡HMPF! ¡UF!

BOUM

TURLU... TURLU... ¡TURLUSIFÓN! AQUÍ ESTÁ...

¡OH, NO!
18

"EL TURLUSIFÓN ES TAMBIÉN UN INSTRUMENTO MÁGICO CUYA AUDICIÓN PROVOCA UN SOPOR TAN PROFUNDO QUE PUEDE LLEGAR HASTA LA PÉRDIDA DE CONOCIMIENTO. LOS QUE LO PADECEN NO SE RECUPERAN JAMÁS, YA QUE NO SE CONOCE NADA QUE CONTRARRESTE SUS EFECTOS".

¡NO EXISTE REMEDIO CONOCIDO! ¡QUÉ HORROR!

¡MALDITO TURLUSIFÓN!
PAF

¡CHAC!

GRRRAC
¡DRUUUUIIIIIG!
¡PRUUUUIIIIF!
¡RAAAC!
!

RAAAC
GRAAACH
CHUUR
PITCH

ALGÚN TIEMPO DESPUÉS...

¡POBRES PITUFOS! ¡PITUFADOS PARA SIEMPRE JAMÁS!

¡QUÉ TRISTE ES QUE SEAN SIEMPRE LOS MEJORES LOS QUE PRIMERO PITUFAN!

¡AH! ¡NO SOMOS NADA! ¡NI PITUFA!

¡VOY A PITUFARLOS MUCHO DE MENOS! ¡SNIF!

HUBIERA QUERIDO RENDIRLES UN ÚLTIMO HOMENAJE... ¿Y SI LES PITUFARA UN POQUITO DE MÚSICA?

HERMANOS PITUFOS, VOY A PITUFAROS UNA ELEGÍA PITUFA.

PUEEEEEUUUET

¡BASTA!
?
19

PAPÁ PITUFO, CREO QUE LO QUE PODRÍAMOS HACER ES...

¡ES UNA IDEA PITUFONIAL!

FIN

SÍ, PERO ACERCAOS Y COMPRENDERÉIS EL MISTERIO:

¡LLEVAN TAPONES EN LOS OÍDOS!

Peyo